D0274789

Oh, non ! Pedro glisse dans une flaque. Ses lunettes s'envolent et retombent dans l'herbe. Maintenant, le petit maladroit avance à tâtons.

– Où sont mes lunettes ? demande-t-il.
Pedro ne voit pas très bien sans ses lunettes.

Peppa et son petit frère cherchent les lunettes.
Hourra ! George ne tarde pas à les trouver !
Il en profite pour les essayer.

– George ! Tu es un petit coquin !
le taquine Peppa.

Elle attrape les lunettes et les rend
à son ami.

– Merci, répond Pedro en les remettant.

– Hum, intéressant... murmure-t-il en se frottant le menton. Ferme un œil et dis-moi ce que tu vois.

– Je vois George, dit Peppa.

George rigole.

– Maintenant, ferme les deux yeux ! ordonne Pedro.

Peppa ferme bien les yeux.

– Je ne vois plus rien, dit Peppa.

– Hum... Tu ne vois plus rien !
C'est très, très intéressant... déclare Pedro.
Je pense que tu as besoin de porter des lunettes !

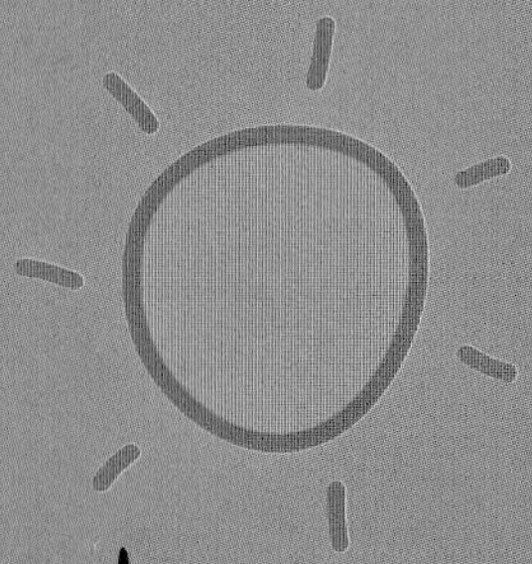

La maman de Pedro arrive. Il est l'heure de rentrer ! Pedro dit au revoir à ses amis et se met en route pour rentrer chez lui.

Peppa et George rentrent aussi à la maison.
– Pedro a contrôlé ma vue, raconte Peppa. J'ai besoin de lunettes : quand je ferme les yeux, je ne vois plus rien !

– Enfin ! Personne ne peut voir les yeux fermés ! explique Maman Pig.

– Mais... insiste Peppa. Pedro s'y connaît très bien en lunettes !

– D'accord, Peppa, glousse Papa Pig. Tu vas aller chez l'opticien pour faire un examen.

Peppa et Maman Pig sont chez l'opticien.
Monsieur Pony les accueille :
– Que puis-je faire pour vous ?

Peppa saute sur le grand fauteuil.

– J'ai besoin d'un examen de la vue, s'il vous plaît !

– Très bien ! Voilà des lunettes spéciales. Maintenant, regarde le tableau !

L'opticien va examiner la vue de Peppa.

Monsieur Pony montre des chiffres sur une affiche :

– Peux-tu lire ça, s'il te plaît ?

– Un, deux, trois, quatre, cinq, six, sept, huit ! lit Peppa.

– Très bien ! la félicite l'opticien. Passons maintenant aux couleurs !

– Rouge, orange, bleu, vert, jaune, violet !

– Excellent !

Pendant que Monsieur Pony vérifie les résultats de l'examen, Maman Pig aide Peppa à choisir des lunettes. Il y a en a de très rigolotes !

Maman Pig tend à Peppa une paire de lunettes rouges en forme de cœurs.

– Que penses-tu de celles-ci ?

– Waouh ! Je les adore, maman ! s'écrie Peppa.

Toutes les deux sont d'accord : Peppa est vraiment magnifique avec ces lunettes !

Monsieur Pony revient avec les résultats.

– Bonne nouvelle ! Peppa, ta vue est parfaite ! dit-il.

– Oh ! Ça veut dire que je n'ai pas besoin de lunettes ? souffle Peppa, déçue. Je voulais tellement en avoir !

Monsieur Pony réfléchit.

– Tu aurais peut-être besoin de lunettes de soleil ?

Peppa chausse une paire de lunettes de soleil rouge.

– Magnifique ! glousse Peppa. J'espère qu'il y aura du soleil tous les jours, pour pouvoir les porter toute l'année !

Retrouve vite
les autres histoires
de Peppa et
George !

Peppa Pig
Peppa
et la galette
des rois
hachette
JEUNESSE

Peppa Pig
Peppa va
à l'école
ABC
abcdefghijklm
nopqrstuvwxyz
hachette
JEUNESSE

Peppa Pig
Peppa
fête Noël
hachette
JEUNESSE

Peppa Pig
Peppa
se déguise
hachette
JEUNESSE

Peppa Pig
Peppa
fait
du ski
hachette
JEUNESSE

Peppa Pig
Peppa va
à la bibliothèque
hachette
JEUNESSE

Peppa Pig
Peppa fait
des crêpes
hachette
JEUNESSE

Peppa Pig
Peppa
se dispute
avec Suzy
hachette
JEUNESSE

Peppa Pig
Peppa
a perdu une dent
hachette
JEUNESSE